LES EXTRAITS MUSICAUX QUI ACCOMPAGNENT L'HISTOIRE

1. Concerto en ré majeur pour guitare, 0'39"
2. Le printemps 2ème mouvement, 1'10"
3. Le printemps 1er mouvement, 1'10"
4. L'été 3 ^{ème} mouvement, 1'00"
5. L'automne 1er mouvement, 1'00"
6. L'hiver 2ème mouvement, 3'11"

Un conte écrit et raconté par
Marlène Jobert
Illustrations : Frédérick Mansot

Le vieil homme
qui faisait danser les saisons

Pour faire aimer la musique de VIVALDI

À mon père,
Qui aurait aimé reconnaître le héros de cette histoire...
Ce violoniste qui a tant marqué sa petite enfance.

EDITIONS ATLAS

L'histoire que je vais te raconter se passe à l'école d'un petit village.
Dans la classe des plus jeunes enfants, ils n'étaient que sept et tous les sept DÉTESTAIENT aller à l'école.

Tu comprendras pourquoi quand je t'aurai présenté leur maîtresse, « Mademoiselle Petsec ». Ce n'était pas son vrai nom, bien sûr, mais c'est ainsi que ses élèves l'appelaient, et crois-moi, ça lui allait vraiment très bien... Toujours de mauvaise humeur, une voix de sorcière, et en plus elle était ARCHINULLE pour expliquer les leçons.

Elle parlait très très très vite, avec des mots très très très compliqués.

Les enfants ne comprenaient rien, ne retenaient rien, et forcément, quand elle les interrogeait, ils ne savaient rien. Alors elle s'énervait et les punissait.

Et quelles punitions ! Toutes plus bêtes les unes que les autres.

   - *Dans le placard ! Tu vas me compter les poils de tous les balais, voilà !*

Écoute celle-ci, elle n'est pas mal non plus :

   - *Tu vas me chanter « il pleut bergère » la tête dans la corbeille à papier au milieu de la cour pendant toute la récré... voilà !*

Une fois, elle avait même osé demander à une petite fille :

   - *Tu vas gratter toutes les crottes de nez qui sont sous les tables, voilà !*

Tu comprends maintenant pourquoi ces pauvres enfants ne pouvaient pas aimer l'école !

Et puis, un jour, un homme étrange arriva dans leur village...

Il s'installa dans une petite maison en ruine, au milieu des vignes, sous un immense marronnier...

On n'avait jamais vu quelqu'un d'aussi original ! Cet homme était très vieux et, à n'importe quelle heure et par n'importe quel temps, il déambulait dans les rues en jouant du violon. Il se faisait remarquer avec son immense short, sa veste en peau de lapin et ses cheveux argentés dressés à la diable ! Tout le monde se moquait de lui.

Tout le monde, sauf les sept élèves de Mademoiselle Petsec.

Ils aimaient beaucoup la musique de ce drôle de bonhomme. Et, en le suivant partout pour l'écouter, ils avaient découvert de drôles de choses.

Le violoniste jouait SEUL, et pourtant les enfants entendaient en même temps d'AUTRES instruments de musique.

Ils les entendaient, mais ils avaient beau tourner la tête de tous les côtés, ils ne les voyaient pas. Ces instruments étaient invisibles...

C'était toujours les mêmes mélodies. Il y en avait quatre. Et, pour chacune, des phénomènes différents se produisaient.

Pendant la première musique, ♩ ♪ ♫ ♫ ♩ les petits sentaient d'abord un parfum de muguet, puis des milliers de pétales de fleurs surgissaient on ne sait d'où et se mettaient à voltiger en mesure autour du violoniste.

Pendant la deuxième, ♩ ♪ ♫ ♫ ♩ c'était l'odeur du foin fraîchement coupé qui chatouillait leurs narines... Ensuite, des centaines de papillons se posaient sur les épaules du vieux monsieur. Ils battaient des ailes très vite, ces papillons, comme s'ils applaudissaient.

Pendant la troisième mélodie, ♩ ♪ ♫ ♫ ♩ l'air sentait bon la pomme, puis des feuilles mortes toutes dorées venaient faire une ronde autour de ses cheveux argentés. C'était joli !

Enfin, pendant la quatrième, ♩ ♪ ♫ ♫ ♩ des flocons de neige tombaient comme à Noël, et comme à Noël, les petits reconnaissaient l'odeur des marrons grillés.

Tant de magie ne t'aurait pas émerveillé toi aussi, hein ?

En classe, un matin, ils étaient en pleine leçon de « blablabla blablabla blablabla », une des spécialités de leur maîtresse, quand soudain : ♩ ♪ ♫ ♫ ♩

- *C'est la musique des papillons !* s'écria Joséphine en se levant d'un bond.
Et, avec tous ses camarades, elle sortit en courant rejoindre le violoniste
qui venait de passer devant l'école.
Si tu avais vu la tête de Petsec !
- *Mais, mais... Mais enfin où allez-vous ? Revenez tout de suite !*
Vous me copierez cent fois « Je ne dois pas quitter ma place pendant la classe ».
Non, pas cent fois, TROIS CENTS fois ! Non, MILLE fois !
Plus elle multipliait les punitions, plus elle s'étouffait, plus ses narines fumaient,
plus ses yeux lançaient des éclairs... et plus vite ses élèves se sauvaient.

Elle voulut les rattraper, mais au coin de la rue ils avaient disparu. Volatilisés !
Elle les chercha dans tout le village : personne ne les avait vus.

Ils avaient dû suivre le violoniste jusque chez lui ! Sûrement ! Alors, elle traversa les vignes comme une fusée et trouva le vieil homme devant sa petite maison sous le marronnier. Il jouait comme toujours, mais il était SEUL : ♩ ♪ ♪ ♪ ♩

– Où sont les enfants ?

Cette voix de sorcière le fit sursauter.

– QUELS enfants ?

– Ben, mes élèves ! Paul, Théo, Marc, Antoine, Anna, Vincent et Joséphine. Ils vous ont tous suivi.

– C'est possible ! Mais je ne les ai pas vus ! Je ne regarde jamais derrière moi !
dit-il en replaçant son violon sous le menton.

Mais où étaient-ils allés ?

Petsec, cette fois accompagnée des parents, les chercha partout : derrière l'église, dans les vignes, dans les greniers, au bord de la rivière, dans les caves, et même dans le cimetière... Partout, je te dis, partout ! INTROUVABLES !

Un vrai mystère ! Ils n'étaient nulle part, l'inquiétude grandissait...

Alors ne sachant que faire, on alla de nouveau questionner le vieux monsieur.

Mais celui-ci ne savait rien de plus !

Ils allaient s'en retourner, quand Petsec reçut sur le nez, BING ! une petite sandale rose.

Au-dessus de sa tête, dans l'immense marronnier, devine qui était perché ?

Paul, Vincent, Anna, Marc, Antoine, Théo et Joséphine.

Tous découverts, à cause d'Anna qui avait laissé tomber sa sandale.

Quel chahut ! Tous les parents voulaient savoir en même temps ce qui leur était arrivé... Théo, le plus petit de la bande mais pas le plus timide, répondit :

- *On est venus ici pour écouter la musique !*

- *Vous avez quitté la classe pour ça ?*

- *Ben oui ! Et c'est beaucoup plus mieux ! D'abord, on n'aime pas l'école, et on n'veut plus y retourner.*

- *QUOI ?*

- *J'vais vous en fiche, moi, des « On n'veut plus y retourner »*

DESCENDEZ TOUT DE SUITE !

Cette grosse voix de papa en colère fit grimper les sept petits jusqu'aux dernières branches du marronnier. Et à une vitesse ! Comme si mille guêpes leur avaient piqué les fesses. On ne les voyait plus tout là-haut, par contre on les entendait :

- *On n'y retournera plus... Plus d'école, un point c'est tout ! Plus d'école, un point c'est tout ! Plus d'école... Plus d'école...*

Bon, d'accord ! Ils n'avaient plus envie d'y retourner... Mais dis-moi, entre les blablabla de Petsec et un concert dans un marronnier, qu'aurais-tu choisi toi ? Le concert bien sûr !

En plus, ce jour-là dans l'arbre, la musique leur avait fait comprendre que chacune des quatre mélodies du vieux Monsieur correspondait à une saison de l'année. Eh oui !

Le parfum du muguet avec les pétales des fleurs, c'était le PRINTEMPS. L'odeur du foin coupé et les papillons, c'était l'ÉTÉ. Celle des pommes avec les feuilles mortes, c'était l'AUTOMNE. Et les marrons grillés en même temps que les flocons de neige, évidemment c'était l'HIVER...

Et sais-tu comment s'appellent justement ces musiques ? « LES QUATRE SAISONS » et le nom du compositeur génial qui les a écrites : VIVALDI... Antonio Vivaldi.

18

Les sept petits avaient donc décidé de ne descendre du marronnier qu'à une condition : les parents devaient promettre de ne plus les envoyer à l'école. Sinon, eh bien tant pis, ils resteraient là-haut... et toute la vie, s'il le fallait !

Les papas et les mamans essayèrent bien de les raisonner, de leur expliquer que ce n'était pas possible, que tout le monde allait à l'école, que c'était indispensable, obligatoire, etc, etc,... mais leurs enfants ne voulaient rien savoir :

PLUS D'ÉCOLE, UN POINT C'EST TOUT !

Alors on les gronda, on les menaça, on les sermonna, on les supplia même.

Mais rien à faire, chacun des petits restait aussi têtu que trois mules à la fois.

Un troupeau de mules dans un marronnier ! Voilà, ce qu'ils étaient.

Les pauvres parents en eurent assez... Et, avant que ces mules ne les fassent devenir chèvres, ils rentrèrent chez eux.

e « troupeau de mules » lui, se réjouissait d'être aussi
bien placé pour admirer le coucher du soleil.

Ses couleurs de feu ce soir là, rougissait le ciel et toute la vallée...

Les enfants ne l'avaient jamais vu si beau et jamais non plus de si haut !

Seulement, ce spectacle fut brutalement gâché par l'arrivée de gros nuages.

Tout devint sombre et en quelques instants, la nuit était là...

Le vieux monsieur ferma sa porte, ses volets, et ce fut alors le noir complet.

Plus noir, ça n'existe pas.

Là-haut, dans le marronnier, les petits commencèrent à avoir froid, puis faim,
puis sommeil, puis peur...

Des choses bizarres froufroutaient autour des cheveux de Joséphine : des ailes,
des pattes, non, des ailes. C'était quoi au juste ces bêtes qui la frôlaient ?

Des chauves-souris ?

Antoine et Paul voyaient une forme étrange qui s'approchait, s'éloignait, puis
revenait, et de plus en plus près... jusqu'à les toucher. C'était quoi cette forme
froide, gluante, écœurante ?

De son côté, Vincent, lui, se débattait avec des fils, des poils, non, des fils qui
mesuraient au moins... plein de mètres, et qui voulaient s'enrouler autour
de lui. C'était à QUI ces longs fils ? À une araignée géante... géante et velue !

Anna et Marc, eux, étaient intrigués par une grosse branche qui bougeait
bizarrement, qui ondulait. Cela ne pouvait pas être une branche !

C'était quoi alors ? Un ÉNORME serpent avec des piquants ?

Théo, lui, se cachait les yeux quand il ne supportait plus le regard fluorescent
d'un gros hibou, et se bouchait les oreilles pour ne plus : l'entendre hululer.

Pauvre petit Théo : un coup les yeux, un coup les oreilles, les yeux, les oreilles,
les yeux, les oreilles et comme cela toute la nuit !

*Q*uelques longues, très longues heures plus tard, une lueur rosée à l'horizon annonça enfin le lever du soleil... OUF !

Les oiseaux de nuit partirent se coucher, et les oiseaux de jour firent entendre leurs tout premiers gazouillis.

Peu à peu, les ombres bizarres, les choses étranges, les bruits inquiétants s'évanouirent lentement... Avaient-ils rêvé ? C'était peut-être la peur qui leur avait fait imaginer tout cela ?

Cependant et cette fois ce n'était pas un rêve, une forme qu'ils ne pouvaient pas encore bien distinguer, restait immobile au pied du marronnier.

Un animal ? Un buisson ? Un homme ? Non, pas un homme, une femme plutôt ! Était-elle là depuis longtemps, ou venait-elle d'arriver ? Qui était cette femme ? Tu ne devines pas ? C'était Petsec. Eh oui, leur maîtresse... Elle était restée là toute la nuit.

Le soleil à peine levé, une fumée sortit de la cheminée du vieux monsieur... Tiens ! Il était réveillé. En effet, il sortit sur le pas de sa porte, son violon à la main. Lui qui d'habitude ne parlait jamais ou presque s'approcha de Petsec :

   - Vous êtes-vous demandé, Mademoiselle, pourquoi vos élèves n'aiment pas l'école et pourquoi ils m'ont suivi ?

   - Je ne sais pas. Dès que vous êtes passé, ils ont tout quitté.
Rien n'aurait pu les empêcher de vous suivre.

   - Ce n'est pas MOI qu'ils ont suivi, c'est la MUSIQUE.
Elle a certains pouvoirs cette musique si on sait l'écouter, et eux ils SAVENT l'écouter.

   - Il faut pourtant bien qu'ils retournent à l'école !

   - Pourquoi voulez-vous qu'ils y retournent, hein ? S'ils n'y trouvent aucun plaisir ! Hein ?

Puis le vieil homme avec un petit sourire, cala son violon sous le menton.

I faisait tout à fait jour à présent. Le violoniste jouait le concerto de L'HIVER, et les enfants avaient vraiment l'impression de voir la neige tomber à gros flocons... ♩♪♫♫♩

Cette mélodie était si belle que même les oiseaux en oubliaient de chanter. ♩♪♫♫♩

Vue de là-haut, Petsec leur paraissait différente... toute petite et fragile.

Elle ne bougeait pas, elle écoutait. ♩♪♫♫♩

24

Et là, il se passa quelque chose qui va beaucoup t'étonner...

Plus elle écoutait la musique, plus son visage se transformait.

Ce visage toujours sombre et chiffonné petit à petit se détendait, s'adoucissait...

Et tout à coup il s'éclaira d'un vrai sourire.

Que lui arrivait-il ? À force de bien écouter, elle voyait les flocons de neige elle aussi ?

Eh bien oui ! Elle aussi commençait à aimer la musique. Incroyable non ?

Au bout d'un petit moment, le vieil homme sans s'arrêter de jouer, s'en alla à travers les vignes... Aussitôt, les enfants se laissèrent glisser le long des branches pour le suivre.

Petsec sentit alors une petite main dans la sienne : c'était celle de Théo. Pour la première fois, un élève osait lui prendre la main...

Tu aimerais bien savoir où le violoniste les emmenait, hein ?

Eh bien, c'est dans leur classe qu'il les ramenait ! Oui, mais attends...
à partir de ce fameux jour, tout fut différent !

Paul, Théo, Marc, Antoine, Anna, Vincent et Joséphine n'auraient manqué l'école
pour rien au monde... Petsec leur parla moins vite, choisit des mots simples
pour expliquer les leçons.

Calculs, dictées, conjugaisons étaient devenus avec elle presque amusants...

J'ai dit PRESQUE, il ne faut pas exagérer quand même...

Souvent, avec des histoires et des imitations, elle les faisait rire comme des fous !

Sa gaieté donnait ENVIE d'apprendre, ENVIE de se passionner, ENVIE de se
balader dans les livres. ENVIE d'aller à l'école, quoi !

Comme tu le vois, la musique avait complètement transformé leur maîtresse.

Il l'avait bien dit le vieux monsieur, le cher homme :

LA MUSIQUE A DE JOLIS POUVOIRS SI ON SAIT L'ÉCOUTER.

Et toi, l'as-tu bien écoutée ?... On recommence ?

FIN

Édité par : Éditions Glénat
© Éditions Atlas, MMV-MMVIII-MMXI
© Éditions Glénat, MMXI

Éditions Glénat
Couvent Sainte-Cécile - 37, rue Servan
38000 GRENOBLE

Avec la participation de Marlène Jobert

Conseiller artistique : Jean-Louis Couturier
Photo de couverture : Éric Robert/Corbis
Illustrations : Frédérick Mansot
Pré-presse et fabrication : Glénat Production

Tous droits réservés pour tout pays.
Achevé d'imprimer en Italie en septembre 2011 par L.E.G.O. S.p.A.
Dépôt légal : septembre 2011
ISBN : 978-2-7234-8466-4

Loi n°49-956 du 16 juillet 1949 sur les publications destinées à la jeunesse.